ゆまに書房

書誌書目シリーズ126

諸字類集成

――小山田与清『群書捜索目録』V――

第一巻

大八洲記標目

〔監修・解題〕梅田 径

凡例

一、本叢書は、国立国会図書館蔵『群書捜索目録』の中から、比較的小規模な語句・語彙索引八点一七冊を集成したものである。小山田与清編の古典籍索引『群書捜索目録』は、もともと水戸彰考館に所蔵されていた和書・漢籍・仏典の大規模な総合索引叢書であったが、原本は戦災で焼失した。その副本のごく一部が国立国会図書館に納められているに過ぎない。本叢書では、利用しやすいように『群書捜索目録』を再編集して復刻する。

一、本叢書の構成は、末尾に掲載した表の通りである。国立国会図書館では『群書捜索目録』全冊に通番を付しているが、復刻にあたってはその整理順を踏襲していない。

一、復刻に際し、各書の構造を反映した形で目次を付し、書名および見出し語について左の柱に、イロハ順の配列位置を右の柱を付した。各作品の解題は、第九巻の巻末に掲載した。また、書名については外題・扉題・内題より適切なものを選び、復刻上の統一書名とした。ただし、国立国会図書館の付した名称や番号を使用した場合がある。

一、本叢書においては、書名、人名等の漢字は、原則として通行字体に統一し、また人名、書名等も代表的なものに統一を試みた。

一、本書製作にあたっては国立国会図書館の許可のもと、新たに撮影されたデジタル画像を底本に利用した。

一、原本の書誌については解題に記した。字高などに配慮して適宜縮小や画像調整を施した場合がある。朱墨の別は濃度等で判断されうるものについては特に触れていない。

一、復刻の許可を賜った国立国会図書館、また原本の閲覧等で多く便宜を図ってくださった同古典籍資料室に御礼申し上げます。

〈全巻の構成〉

第一回（全五巻）

第一巻　「大八洲記標目」
第二巻　「八部字類抄　上」
　　　　「八部字類抄　中」
　　　　「八部字類抄　下」
第三巻　「色葉集字類」
　　　　「本草和名字類」
第四巻　「家筑三類語　上」
　　　　「家筑三類語　中」
　　　　「家筑三類語　下」
第五巻　「和名抄類字　上」
　　　　「和名抄類字　下」

第二回（全四巻）

第六巻　「令義解目録　一」
　　　　「令義解目録　二」
第七巻　「令義解目録　三」
　　　　「令義解目録　四」
第八巻　「歌学索引　一」
　　　　「歌学索引　二」
第九巻　「歌学索引　三」
　　　　＊解　題

第一巻目次

大八洲記標目　全

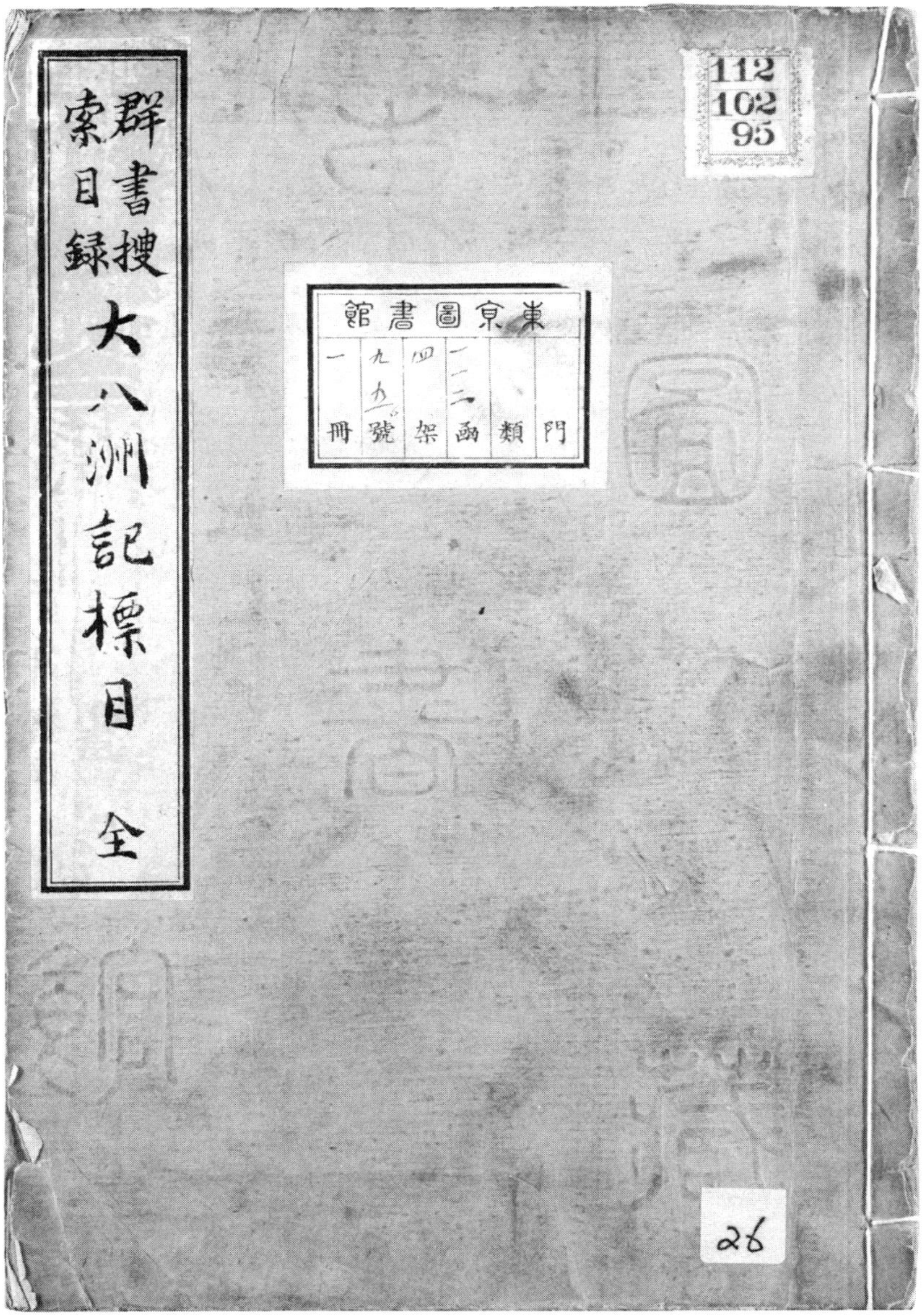
群書捜索目録
大八洲記標目　全
112
102
95
東京圖書館
門
類
一二二函
四架
九號
一冊
26

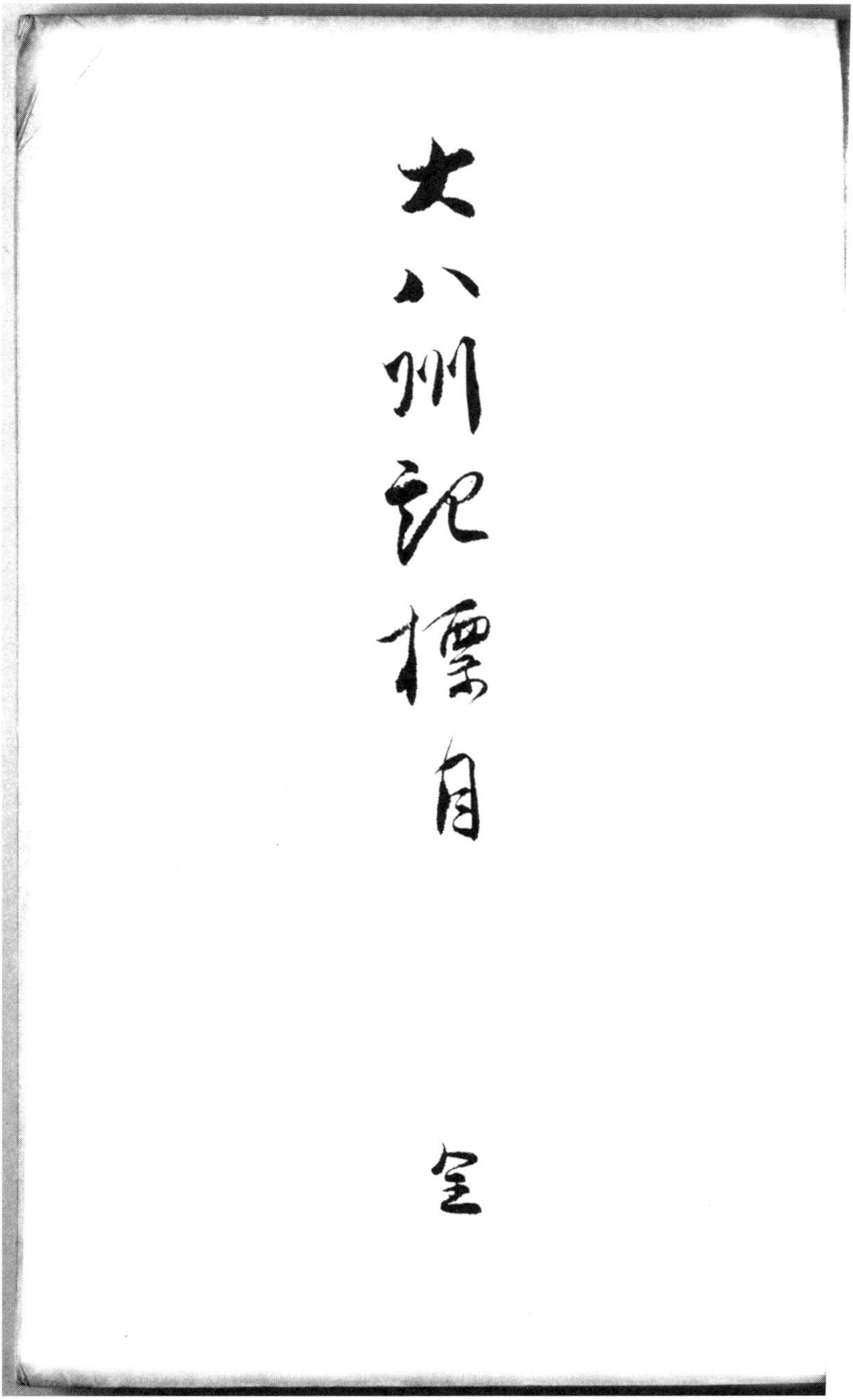
大八州記標目

全

大八州記標目

伊地名

伊社邇波之罡	伊豫	十一ノ廿ウ
石川	河内	五ノ廿オ
廬戸宮	大和	一ノ五ウ
伊都	紀伊	十一ノ二ウ
磐石橋	甲斐	六ノ卅七オ
廬山	遠江	六ノ廿三ウ
和泉監		五ノ廿オ

伊勢加佐波夜国　六ノ一ウ
伊勢国　六ノ三ウ
稲葉川　豊後　十二ノ卌五オ
出雲国　九ノ十三オ
伊豆大島　六ノ卅三ウ
巌沼川　陸奥　七ノ卅六ウ
和泉郡　和泉　五ノ廿七オ
出石　但馬　九ノ四ウ
犬上　近江　七ノ四ウ

石瀬河　陸奥　十二ノ四十ウ
膽沢城　陸奥　七ノ四十二オ
磐田　遠江　六ノ廿三ウ
出羽国　七ノ五十ウ
石川　加賀　八ノ九ウ
伊具　陸奥　七ノ廿八ウ
辛川宮　大和　一ノ六オ
射水　越中　八ノ十三ウ
伊岐島　十二ノ四十八ウ

磐梨野　備前　十ノ十三ウ

盧原　駿河　六ノ卅一ウ

池辺雙槻宮　大和　一ノ廿ウ

今立　越前　八ノ廿ウ

夷輿村　伊豫　十一ノ卅五オ

磐余玉穂宮　大和　一ノ九ウ

伊服岐能山　美濃　七ノ七ウ

石見國　九ノ卅七ウ

池心宮　大和　一ノ廿ウ

石上廣高宮　大和　二ノ九オ
廬入野宮　大和　一ノ十オ
夷参野　駅　相模　六ノ四十三オ
飯石　出石　九ノ廿一ウ
生葉　筑後　十二ノ十四オ
伊蘇国　十二ノ四ウ
伊達　陸奥　七ノ四十五オ
磐城　同　七ノ卅七オ
伊香　近江　七ノ五十オ

伊賀国		六ノ一オ
石船	越後	八ノ十五ウ
因幡国		九ノ九ウ
伊豫国		十一ノ十四ウ
飯田山	信濃	七ノ十九ウ
怡土	筑前	十二ノ三ウ
出島	但馬	九ノ廿ウ
磐瀬	陸奥	七ノ卅五オ
印南	播磨	十ノ六オ

磐梨　備前　十ノ十四ウ
飯野　伊勢　六ノ九ウ
飯高　同　同ノ九オ
膽沢　陸奥　七ノ四十三オ
夷灊　上総　六ノ五十七オ
伊賀郡　伊賀　六ノ三オ
和泉国　五ノ廿五ウ
膽振鉏　七ノ四十八ウ
印幡　下総　六ノ六十一オ

伊豆国 六ノ卅三オ

伊甚屯倉 上総 六ノ五十七ウ

伊賀国始立 六ノ二オ

伊治城 陸奥 七ノ四十ウ 同四十一ウ

揖保 播磨 十ノ六ウ

詞

諸国人民姓名有觸諱《イミナ》者改　四ノ十二ウ

伊社那叱来　十一ノ廿ウ

稲置　四ノ六オ

医師　四ノ廿二オ

人《イノ》余《チ》尽神　十二ノ一ウ

医師毎国一人　四ノ四十五オ

医生毎国之数　四ノ四十五オ

郵《イウ》駅《エキ》　四ノ十二ウ

呂
波

地名

服村　伊勢　六ノ九ウ

伯耆国　九ノ十一ウ

播广国　十ノ一オ

織部縣　備前　十ノ十一ウ

幡垂国　常陸　六ノ六十七オ

秦原　近江　六ノ廿四ウ

羽咋　能登　八ノ十一ウ

早勝山　壹岐　六ノ廿四ウ
速見　豊後　十二ノ卅六ウ
針間井　攝津　十ノ一ウ
波多湊　三河　六ノ廿ウ
葉田　備前　十ノ十ウ
幡羅　武蔵　六ノ四十八ウ
幡多　土佐　十一ノ廿五オ
筥荷途　常陸　六ノ卅九ウ
速水海　日　六ノ四十六ウ

榛田山　河内　不ノ廿二

早女坂　甲斐　六ノ卅七ウ

萩原里　播磨　十ノ一ウ

波須島　筑前　十二ノ九オ

濱名　遠江　六ノ廿二オ

速見　豊後　十二ノ廿四ウ

詞

坂東八国　三ノ八十八ウ
法興六年　十一ノ十九ウ
博士三茅考第　四ノ四十五ウ
博士医師秩限　四ノ四十六オ
博士　四ノ廿二オ
坊長　四ノ七ウ
駅馬　四ノ七ウ　日ノ十三ウ
班田　四ノ八オ

坊令　四ノ七ウ

隼人　十二ノ四十六オ

博士毎国一人　四ノ四十五オ

機殿　伊勢　六ノ九ウ

坂東　四ノ十四オ

仁

地名

西奈山　駿河　六ノ卅一ウ

丹取軍團　陸奥　七ノ卅四ウ

仁多　出雲　九ノ廿三オ

新田驛　六ノ廿三オ

錦部　河内　五ノ廿オ

新治　常陸　六ノ六十五オ　又六十四オ

丹羽　尾張　六ノ十八オ

熱田津 伊豫 十一ノ十八ウ

丹裳小野 日向 十二ノ廿八オ

新居 伊豫 十一ノ十六オ

西生 摂津 五ノ卅二ウ

新田柵 陸奥 七ノ卅一ウ

詞

日本四番国

爾多志枳

七ノ三オ

九ノ廿二ウ

保

地名

保良宮　近江　一ノ十八ウ

掘江　河内　五ノ廿二ウ

火神岳　出雲　九ノ十八オ

保室士野　出羽　七ノ五十三オ

踏石　豊後　十二ノ卅六オ

保福山　信濃　七ノ十九ウ

品治　備後　十ノ廿二ウ

穂浪　筑前　十二ノ十一オ

宝飫郡　三河　六ノ廿オ

詞

北辺　三ノ八十二ウ

保呂保保志　十ノ廿四ウ

歩　四ノ十一オ

北道　北陸道　四ノ十四オ

穂根別而　九ノ十六ウ

邉

地名

平城　五ノ二オ

平安宮　山城　一ノ廿ウ　同

平城宮　大和　（一ノ十二ウ　同ノ十四ウ
（同ノ十八ウ

登

地名

東光寺谷　甲斐　六ノ卅七オ
鳥取山　三河　六ノ廿ウ
常盤木森　武蔵　六ノ四十七オ
豊島　同　六ノ四十七ウ
豊島崎　常陸　六ノ六十六ウ
豊田　下総　六ノ六十三ウ
豊崎の宮　摂津　一ノ十ウ

土岐　美濃　七ノ十三オ
礪波　越中　八ノ十三ウ
土佐國　十一ノ廿三ウ
豊村　肥前　十二ノ十七オ
遠田　陸奥　七ノ卌二ウ
富川　尾張　六ノ十三オ
豊浦　長門　十ノ廿二ウ
十市　大和　五ノ十七ウ
木賊川　甲斐　六ノ卅七オ

遠江國　六ノ廿ウ

詞

豊玉彦之海宮　十二ノ五十三ノ

豊葦原千五百秋瑞穂国　一ノ廿四ノ

東八箇国総追補使　六ノ四十一オ

都亭驛始置　四ノ十四ウ

東海道　六ノ一オ

古語謂居住為止　五ノ九ウ

豐草　十二ノ卅二オ

弩師　（三ノ八十三ウ　四ノ二十二オ

烽火　三ノ八十五オ

東辺　三ノ八十二ウ

弩師秩限　三ノ八十四オ

常世之国　六ノ六十四ウ

知

地名

長上郡	遠江	六ノ廿三オ
長下郡	同	同ノ同
値嘉島	肥前	十二ノ廿ウ
知奈浦	近江	七ノ五オ
知夫	隠岐	九ノ廿七オ
鎮守府		三ノ一オ
近飛鳥八釣宮		一ノ八ウ

知鋪　日向　十二ノ四オ

秩父　武蔵　六ノ四十九ウ

筑後國　十二ノ十三ウ

鎮守府　七ノ四十六オ

筑前國　十二ノ一オ

茅野監　五ノ廿五ウ

詞

中郡《ニハ》大領少領主帳各二人　四ノ卅五オ

中馬　四ノ九オ

中路　四ノ十二ウ

中國　六ノ一オ

茅輪　十ノ廿四ウ

中郡　四ノ八オ

鎮兵　七ノ十三ウ

千尋栲紀　九ノ卅ウ

鎮撫使　四ノ五十六ウ

利

地名

詞

旅師　四ノ四十二ウ

良吏

職員令ヲ引

令集解ヲ引

里長

四ノ廿二オ

五ノ廿九オ

五ノ十五オ

廿ノ九ウ

四ノ七ウ　四ノ八オ

奴

地名

額田　三河　六ノ十九ウ

渟足柵　七ノ四十八オ

沼垂　越後　八ノ十五ウ

沼田　安藝　十ノ卅六オ

詞

留

遠

地名

留李磯　近江　七ノ五オ

小田谷　甲斐　六ノ卅七オ

小河　肥前　十二ノ十九オ

小田原浦　相模　六ノ卅七ウ

麻植　阿波　十一ノ七オ

雄勝　出羽　七ノ五十七オ
小吉蘇村　美濃　七ノ六オ
遠賀　筑前　十二ノ八ウ
雄勝村　出羽　七ノ廿二ウ　同四十三ウ
尾張國　六ノ十二オ
越智　伊豫　十ノ十七オ
小濱川　攝津　五ノ卅五ウ
小塩郷　下総　六ノ六十三オ
尾津前　伊勢　六ノ八オ

罘布村　伊勢　六ノ十オ

罘因郡　下総　六ノ六十三ウ

牡鹿柵　陸奥　七ノ卅一ウ

男衾　武蔵　六ノ四十八ウ

童女胸鉏　詞　九ノ十六ウ

遠国　六ノ一オ

日ヲ佐サ　十二ノ四十一オ

和

地名

若桜宮　大和　一ノ七ウ

輪田泊　摂津　四ノ十五オ

若狭　八ノ一オ

和気　伊豫　十一ノ十八オ
稚桜宮　大和　一ノ八オ
渡世川　武蔵　六ノ四十七ウ
和気　備前　十ノ十三オ
若狭山　陸奥　七ノ卅六ウ
度會　伊勢　六ノ十オ
若江　河内　五ノ廿三ウ
和気関　備前　十ノ十三オ
渡嶋蝦夷　陸奥　七ノ四十七ウ

詞

綿

度子

四ノ八ウ

四ノ十七オ

加

地名

勝騰门比賣　肥前礒名　十二ノ二十オ
葛城室《ムロ》之秋津島宮　大和　一ノ五ウ
神埼　播磨　十ノ二オ　同七オ
葛東郡　下総　六ノ六十一オ
笠原　武蔵　六ノ四十四オ
鎌倉　相模　六ノ四拾ウ
樫市　加賀　八ノ十オ
加志之和都賀野　六ノ一ウ
軽之境罡宮　大和　一ノ五オ

鹿足　石見　九ノ廿四オ
葛野　山城　五ノ四オ
方縣　美濃　七ノ十一オ
賀茂　播广　十ノ七ウ
河内　下野　七ノ廿六オ
蒲原榎田堤　駿河　六ノ卅一ウ
柏原駅　同　六ノ卅二ウ
加古　播广　十ノ五オ
金洲崎　武蔵　六ノ卅七オ

甲賀　近江　七ノ三ウ
川曲郷　常陸　六ノ六十三ウ
鎌倉之山　相模　六ノ三十八オ
香河村　陸奥　七ノ卅ウ
春部　尾張　六ノ十八オ
葛飾　下総　六ノ六十一オ
鹿島　常陸　六ノ六十八オ
河内職　五ノ十八オ
河辺郡　摂津　五ノ卅四オ

瓦村　摂津　十ノ二オ
蒲生　近江　七ノ四オ
甲斐國　六ノ卅四オ
風早　伊豫　十二ノ十八オ
香取　下総　六ノ六十二オ
柏済　摂津　十ノ廿ウ
槽屋　筑前　十二ノ卆ウ
加賀美　陸奥　七ノ卅九ウ
笠狭之崎　筑紫　一ノ二オ

加賀國 八ノ六ウ

金刺宮 大和 一ノ十オ

蒲原駅 駿河 六ノ卅三オ

河斛島 筑前 十二ノ九オ

韓級 上野 七ノ廿三オ

上総國 六ノ五十二ウ

珂磨郷 備前 十ノ十四オ

韓泊 四ノ十五オ

葛下郡 大和 五ノ十三オ

葛城掖上宮　大和　一ノ五ウ
神石　備後　十ノ廿一ウ
河沼　陸奥　七ノ四十五オ
笠狭之崎　薩摩　十二ノ四十七オ
賀茂　伊豆　六ノ卅四オ
加佐　丹後　九ノ三オ
嘉麻　筑前　十三ノ十一オ
金井岡　常陸　六ノ六十六オ
肩背　備前　十ノ十四オ

鹿児島	薩广	十二ノ四十七ウ
刈田	陸奥	七ノ廿六ウ
神门	出雲	九ノ廿一ウ
上毛	豊前	十二ノ卅ウ
鏡谷	近江	九ノ五十ウ
懸坂上岺	信濃	七ノ五ウ
賀夜	備中	十ノ十八ウ
上道	備前	十ノ十七オ
神井		十二ノ廿オ

柏峡大野　豊後　十二ノ卅五ウ
勝浦　阿波　十一ノ八ウ
神済　越中越後境　八ノ十三オ
加茂　佐渡　八ノ十八ウ
上野國　七ノ廿一オ
上妻　筑後　十二ノ十五オ
神野郡　伊豫　十一ノ十六ウ
川島縣　備前　十ノ十一オ
神済　四ノ十四オ

上座　筑前　十二ノ十一ウ
河尻　摂津　四ノ十五オ
橿日宮　筑前　十二ノ十二オ
金橋宮　大和　一ノ九ウ
河内國　五ノ十八オ
葛城　五ノ十三オ
葛上郡　大和　五ノ十三オ
甲努村　備後　十ノ廿三ウ
合《カ》志《ハシ》　肥後　十二ノ廿七オ

勝田　十ノ九オ
蟹江、浦　六ノ廿二ウ
香登郷　十ノ十四オ
神崎　七ノ十四オ
橿原宮　一ノ三オ
葛西郡　下総　六ノ六十一オ
河陽離宮　五ノ二オ
加茂　美濃　七ノ十一ウ

詞　山陰道

影友　四ノ十四オ

学生下国廿人　四ノ四十オ

神體之形　十二ノ六ウ

学生上國四十人　四ノ四十五オ

学生中國卅人　同ノ同

穀麻種　十一ノ七オ

水手　十ノ五ウ

莵《ガ》子《マ》　十二ノ四十二ウ

学生大国五十人　四ノ四十五オ

上野太守　七ノ廿二オ

界限　四ノ五ウ

柏葉　十二ノ卅五ウ

切髪　十二ノ四十二ウ

上総太守　六ノ五十三ウ

絹《カトリ》　四ノ八ウ

與

地名

横濵庄倉　武蔵　（六ノ四十四オ 日ノ四十八ウ）

横河　出羽　七ノ四十四オ

横走駅　駿河　六ノ卅二ウ

吉野　大和　五ノ十五オ

與謝　丹後　九ノ三オ

横見　武蔵　六ノ四十八ウ

横走関　駿河　六ノ廿七ウ

夜見島　出雲　九ノ十八オ

詞

與波比　十ノ廿四オ

庸米　四ノ九ウ

庸布　同ノ同

太

地名

高千穂二上峯　日向　十二ノ四十オ

玉倉部之清泉　美濃　七ノ七ウ

珠城宮　大和　一ノ六ウ

玉島宮　肥前　十二ノ十九オ

答志　志摩　六ノ十二オ

大養徳国　子ノ十オ

多田峯　尾張　六ノ十三オ
多賀　陸奥　七ノ四十五ウ
重出 多田峯
多賀柵　陸奥　七ノ卅一オ　ウ
多度山美泉　美濃　七ノ八オ
當藝　同　同ノ同
玉作園　陸奥　七ノ卅四ウ
多賀城　同　七ノ卅六ウ
高来縣　肥前　十二ノ十七オ

高安　河内　五ノ廿一オ

玉造　陸奥　（七ノ卅一ウ　同ノ四十オ）

高田行宮　筑後　十二ノ十五ウ

多氣　伊勢　同ノ同

玉川　相模　六ノ卅七ウ

武田牧　甲斐　同ノ同

高岡　土佐　十一ノ廿四ウ

高屋宮　日向　十二ノ卅八オ

玉杵名邑　肥後　十二ノ十七オ

多胡　上野　七ノ廿三オ
橘花屯倉　武蔵　六ノ四十四オ
多良之岑　紀伊　四ノ卅六オ
田夷村　陸奥　十二ノ十六ウ
高木　紀伊　七ノ卅ウ
丹比　河内　十二ノ廿三オ
多珂　常陸　五ノ廿四オ
玉名　肥後　六ノ六十八ウ
建部浦　伊勢　十二ノ廿五ウ
　　　　　　六ノ八ウ

太宰府　二ノ一オ

田川　出羽　七ノ五十八ウ

高津宮　摂津　一ノ八オ

高丘宮　大和　一ノ四ウ

高市　同　五ノ十六ウ

田跡河　美濃　七ノ九ウ

武美　上野　七ノ廿三オ

丹波國　九ノ一オ

多歌郡　常陸　六ノ六十六ウ

田子浦　駿河　六ノ卅一ウ

鳥旗澳　筑前　十二ノ九オ

丹後國　九ノ二オ

但馬國　九ノ三ウ

王野　出羽　七ノ四十四オ

多祢嶋　大隅　十二ノ四十二ウ

竹野　丹後　九ノ三オ

楯縫　出雲　九ノ廿オ

橘樹　武蔵　六ノ四十六ウ

玉穂宮	大和	一ノ九オウ
高木水罡	出羽	七ノ五十七ウ
多藝行宮	美濃	七ノ九ウ
玉野	出羽	七ノ卅二ウ
答合城	日	七ノ五十七オ
多氷屯倉	武蔵	六ノ四十四オ 日ノ四十六オ
多藝	美濃	七ノ七オ
田井里	相模	六ノ四十ウ
高屋	日	六ノ四十オ

詞

大郡三八大領少領主政各一人主帳二人　四ノ卅四ウ
大日本国　一ノ廿五オ
高橋　九ノ廿一オ
大嘗之年　十一ノ七オ
大毅　四ノ四十二ウ
大領　四ノ八オ
田眞　六ノ五十一ウ

大路　四ノ十二ウ
玉太ノ羽矢　六ノ十二ウ
隊正　四ノ四十三オ
鮹旗　七ノ四十八オ
大國造　七ノ廿七オ
大郡　四ノ八オ
租稲《タチカラ》　四ノ八ウ
大總管　四ノ五十六ウ
大夫　四ノ七オ

島司　十二ノ廿一ウ

礼

曽

地名

添下郡　大和　乎ノ十オ

層増岐野　筑前　十二ノ十一ウ

圖之長濱　出雲　九ノ十七オ

添上郡　大和　五ノ十ウ

襲國　日向　十二ノ卅八オ

囎唹　大隅　十二ノ四十四ウ

詞

蘇民將来　山陽道　十ノ廿四オ

踰《リ》止毛　四ノ十四オ

染屋時忠住鎌倉　六ノ四十一オ
続命院　四ノ廿ウ
租稲　四ノ八ウ

都

地名

筒城宮　山城　一ノ九オウ
津濟　四ノ十六ウ

津橋　四ノ十七オ
筑紫洲　十二ノ一オ
角枯之山　常陸　六ノ六十六ウ
對馬島　十二ノ五十ウ
都濃　周防　十ノ卅ウ
菟餓野　十ノ廿七ウ
筑紫神　十二ノ一ウ
角鹿　越前　八ノ二オ
攝津國　五ノ廿七ウ

海石榴市　豊後　十二ノ卅五オ

都留　甲斐　六ノ卅七オ

筑波岳　常陸　六ノ六十四オ

筑波郡　六ノ六十六オ

敦賀　越前　八ノ三ウ

鶴岡八幡宮　六ノ四十一ウ

都岐沙羅柵　七ノ四十八オ

土橋郷　六ノ十オ

津軽　陸奥　七ノ四十七オ

杖衝坂　伊勢　六ノ八オ
都々乃三塘　出雲　九ノ十七ウ
綴喜　山城　五ノ六オ

詞

木菟　十二ノ一オ
傳馬　四ノ七ウ
追補使　七ノ二オ

祢

地名

祢疑野 豊後 十二ノ卅四ウ

嵐磐窟 同 十二ノ卅六ウ

詞

奈

地名

長罡宮 山城 一ノ廿オ

流田郷 伊勢 六ノ九ウ

名方 阿波 十ノ九オ

難波宮　摂津　一ノ十四ウ

長野嶽　伊勢　六ノ八ウ

名取　陸奥　七ノ卅六ウ

直入　豊後　（十二ノ廿三ウ　日ノ卅四ウ）

那耆野　紀伊　十ノ三オ

中島　尾張　六ノ十七オ

那須　下野　七ノ廿六ウ

長田　遠江　六ノ廿二オ

那珂郡　常陸　六ノ六十八オ

名護屋大済　筑前　十二ノ九ウ
列城宮　大和　一ノ九オ
名西　阿波　十一ノ九オ
長逢罡　近江　六ノ廿三ウ
那賀　阿波　十一ノ九オ
那賀　紀伊　十一ノ二ウ
那賀　伊豆　六ノ卅四オ
那珂　武蔵　六ノ卅九オ
那珂　筑前　廿二ノ五ウ

永蔵駅	駿河	六ノ卅二ウ
名張	伊賀	六ノ三ウ
名東	阿波	十ノ八ウ
長上郡	遠江	六ノ廿三オ
長下郡	同	同ノ同ノ
名草	紀伊	十一ノ二ウ
長狹	安房	六ノ五十二ウ
長狹縣	豊前	十二ノ卅オ
長門國		十ノ卅一オ

長野川 山城 五ノ六オ

詞

奈加津道 東山道之 四ノ十四オ

南海新道 四ノ十四ウ

中臣賜二藤原姓一 六ノ四十一オ

良

武

地名

宗像　筑前　十二ノ六オ

武射　上総　六ノ五十八オ

席田　美濃　七ノ十ウ

武庫郡　摂津　五ノ卅四オ

檉生泊　播磨　四ノ十五オ

武藝　美濃　七ノ十一オ

杣山　出羽　七ノ五十六ウ

武蔵國　六ノ四十二オ

茨城　常陸　六ノ六十七ウ

向津野大濟　筑前　十二ノ九ウ

諸縣　日向　十二ノ四十オ

牟婁　紀伊　十一ノ三ウ

詞

武蔵属海道　六ノ四十三オ
宗像神主　十二ノ七ウ
武蔵名義　六ノ四十二ウ
定邑《ムラ》里《サト》　四ノ六ウ

字

地名

宇智	大和	五ノ十四ウ
海北	上総	六ノ五十六ウ
碓氷	上野	七ノ廿三オ
宇佐	豊前	十二ノ四十ウ
鵜沼河	美濃	七ノ五ウ
有渡沖	駿河	六ノ廿六オ
臼杵	日向	十二ノ卅九ウ
羽茂	佐渡	八ノ十八オ
海上	上	六ノ五十六オ

海南　同　〳〵　六ノ五十六オ
雄日坂　上野　七ノ廿四オ
浮孔宮　大和　一ノ五オ
魚住泊　播磨　四ノ十五オ
内野　大和　五ノ十四ウ
馬来田　上総　六ノ五十六ウ
優嗜曇郡　陸奥　七ノ卅八ウ
宇勇　同　同ノ同
浮穴　伊豫　十一ノ廿一ウ

海上　下総　六ノ六十一ウ

鵜沼川　尾張　六ノ十三ウ

有度　駿河　六ノ卅一オ

宇治　山城　五ノ五オ

宇和　伊豫　十一ノ廿二オ

梅坪坂　遠江　六ノ廿三ウ

宇陀　大和　五ノ十六オ

詞

浮橋	九ノ廿一オ
囚官令レ氏《ウヂ》	十一ノ十ウ
買《フ》レ馬《ウマ》直《ヲ》	四ノ九オ
采女	同ノ同
浮羽	十二ノ十四オ
駅	四ノ十三ウ
打橋	九ノ廿一オ
宇枳　盃	十二ノ十四オ

馬子　七ノ四十二ウ

為

地名

猪名嶽　摂津　五ノ卅五ウ
猪河山　駿河　六ノ廿六オ
井口　出羽　七ノ五十四ウ
員辨　伊勢　六ノ七ウ

井ノ手郷　口　六ノ九ウ

能

地名

能美　加賀　八ノ九オ
能義　出雲　九ノ十九ウ
乗潴駅　武蔵　六ノ四十七ウ
能登国　八ノ十オ

野上　美濃　七ノ八オ

能勢　摂津　五ノ卅五ウ

野間　伊豫　十一ノ十七ウ

詞

於

地名

大輪田泊　摂津　四ノ十五オ

大井　美濃　七ノ十二ウ

大和国　又ノ七オ
大分　豊後　十二ノ卅四オ
大野　日　十二ノ廿三ウ
大宝訳　出羽　七ノ卅二オ
愛宕　五ノ四ウ
大田川　甲斐　六ノ卅七ウ
大鹿松岡　相模　六ノ四十ウ
大住　日　六ノ四十オ
大磨山　下総　六ノ六十二オ

大田輪川　遠江　六ノ廿四ウ
大林　常陸　六ノ六十六ウ
大内　讃岐　十一ノ十二オ
磤馭盧島　一ノ廿四オ
意宇　出雲　九ノ十六オ
乙訓　山城　五ノ三オ
大竹川　安藝周防境　十ノ廿五ウ
息田神社　駿河　六ノ廿五ウ
弟國宮　山城　一ノ九オウ

大猪川	遠江	六ノ二十四ウ
大津	近江	七ノ三ウ
邑《オ》久	備前	十ノ十六オ
大縣	河内	五ノ廿ウ
大井河	遠江	六ノ廿四ウ
織裳	上野	七ノ廿三オ
大庭	美作	十ノ十オ
大堰河	駿河	六ノ廿五オ
及椽城	豊後	十二ノ卅四オ

忍海　大和　五ノ十四オ

置賜　出羽　七ノ五十六ウ　日ノ五十七オ

大戸湊　武蔵　六ノ四十七オ

大家　上野　七ノ廿三オ

大飯　若狭　八ノ一ウ

大津宮　近江　一ノ十一オ

大平山　駿河　六ノ卅一ウ

大和田　遠江　六ノ廿二オ

大島　周防　十ノ卅オ

大沼　陸奥　七ノ四十四ウ
大養徳国　五ノ十オ
大山郷　出羽　七ノ五十四ウ
隠岐国　九ノ廿四ウ
大原　出雲　九ノ廿二ウ
大山之中津峯　相模　六ノ卅八オ
大野　越前　七ノ十七ウ
大隅国　十二ノ四十一オ
大井河　山城　四ノ十八ウ

詞

大押字改凡直　十一ノ十ウ
意悪登詔　九ノ十八オ
大八洲國　廿ノ廿六ウ
大國造　七ノ廿七オ
段歩　四ノ八ウ
大魚之支太　九ノ十六ウ
大厳戸　十一ノ廿ウ

臣木　十一ノ廿ウ

大日木　一ノ廿五才

久

地名

久世　山城　五ノ三才

久慈　常陸　六ノ六十八ウ

久良　武蔵　六ノ四十五ウ

恭仁宮　山城　一ノ十四ウ
熊毛　大隅　十二ノ四十五ウ
来田見邑　豊後　十二ノ卅五オ
功地山　摂津　五ノ卅五オ
群馬　上野　七ノ廿三ウ
黒前山　常陸　六ノ六十七オ
岫田川　伊勢　六ノ八ウ
鞍手　筑前　十二ノ十ウ
郡上　美濃　七ノ十一ウ

國懸神　紀伊　十ノ二ウ
球珠　豊後　十二ノ廿三才
久牟知川　摂津　五ノ卅五才
栗田川　加賀　八ノ十才
鞍韉尽之坂　筑前　十二ノ一ウ
桑名　伊勢　六ノ七才
菊池　肥後　十二ノ廿五ウ
岫門　久岐之　十二ノ九才
久米　伊豫　十ノ廿一才

岡崎 豊後 十二ノ卅七オ
球麻 肥後 十二ノ廿八ウ
闇見國 出雲 九ノ十七ウ
洞海 十二ノ十オ
頸城 八ノ十五オ
菊多 七ノ卅七オ
栗本 七ノ三ウ
久米 美作 十ノ九ウ
熊野村 紀伊 六ノ四オ

桑田　丹波　九ノ一ウ
粟原　陸奥　七ノ四十ウ
倉稺丘倉　武蔵　六ノ四十四オ
玖河　周防　十ノ卅オ

祠

郡司大少領以終身為限　四ノ卅四オ
建郡《ゲウ》家《ケ》千田夷村　陸奥　七ノ三十ウ

事力公《ク》廨《ゲ》田不在給限　七ノ十四オ

歴《クマ》木《キ》　十二ノ十六オ

郡司　四ノ七オ　同ノ八オ　同ノ廿二オ

館舎　四ノ十九ウ

関塞　四ノ七オ

支《クチ》子《ナシ》　十二ノ四十二ウ

官舎帳　四ノ廿オ

立《タツ》二国《クニ》ノ境之標一　四ノ六ウ

皇都　一ノ一オ

課丁　七ノ十五オ
寛郷　四ノ十ウ
関门　四ノ二オ
樟樹　十二ノ卅三オ
郡長　四ノ六オ
軍團大毅　四ノ四十三ウ
觀察使　四ノ七十二オ
分㆓国《クニ》縣《アカタヲ》㆒　四ノ六オ
建㆓郡《クウ》家《ケ》㆒　七ノ四十五ウ

郡領補任		四ノ卅五オ
軍團		四ノ廿二オ
草叢		十二ノ四十二ウ

也

八上	地名　因幡	九ノ十一オ
山門	地名　筑後	十二ノ十五ウ

山菅	上野	七ノ卅五ウ
山城		五ノ一オ
八代縣	肥前	十二ノ十七オ
山鹿岬	筑前	十二ノ九ウ
野洲	近江	七ノ三ウ
八女縣	筑後	十二ノ十五オ
耶麻	陸奥	七ノ卅五ウ
八代	甲斐	六ノ卅七オ
八代	肥後	十二ノ廿三ウ

矢田　上野　七ノ廿三オ
焼津　駿河　六ノ廿九ウ
八名　三河　六ノ廿ウ
八部　摂津　五ノ卅四ウ
山名　遠江　六ノ廿四オ
夜須　筑前　十二ノ十一ウ
倭国磯城郡　一ノ十オ
山梨　甲斐　六ノ卅六ウ
山香　遠江　六ノ廿三ウ

屋嶋城　讃岐　十一ノ十三オ
山本　肥後　十二ノ廿七オ
山辺　大和　五ノ十七ウ

詞

山城為畿内第一　五ノ一ウ
倭国造　五ノ十オ
八穂米　九ノ十六ウ
山代國造　五ノ二オ

山背改山城　五ノ二オ

末

地名

松岡湊　陸奥　七ノ卅九ウ

益草川　下総　六ノ六十二オ

益頭　駿河　六ノ廿九オ

沙マ田　安藝　十ノ廿八ウ

益田　石見　七ノ十七ウ
松峽宮　筑前　十二ノ十二オ
曲峽宮　大和　一ノ四オ
磨美山　摂津　五ノ卅四ウ
西木山　駿河　六ノ卅一オ
松島　陸奥　七ノ卅九オ
松賀湊　日　七ノ卅六ウ
茨田　河内　五ノ廿二オ
松浦　肥前　十二ノ十九オ

勾金橋宮 大和 一ノ九ウ

望陀 上総 六ノ五十六ウ

詞

政所 七ノ四十八ウ

大夫 四ノ七オ

馬子 七ノ四十三ウ

町《マチ》 四ノ八ウ

魚《マ》塩地 十二ノ九ウ

計

地名

気多　因幡　九ノ十一ウ
笥飯浦　越前　八ノ三ウ
毛野國　下野　七ノ廿四ウ

詞

下郡大領少領主帳各一人　四ノ卅五オ

校尉　四ノ四十二ウ

縣邑首　四ノ六オ

撿非違使　四ノ八十ウ

計帳　四ノ八オ

不

地名

冨士焼　六ノ卅九ウ

布上井川　下総　六ノ六十オ

豊後國　十二ノ廿一ウ

福良泊　淡路　八ノ十二オ

総國　六ノ五十三オ

藤原郡　備前　十ノ十三ウ

古市　河内　五ノ廿オ

豊前國　十二ノ廿九オ

二方　但馬　九ノ九ゝウ

風至　能登　十二ノ十六ウ
不二河　駿河　六ノ廿五オ　四ノ卅二オ
藤那耶　信濃　十ノ十三ウ
布留志川　駿河　六ノ卅一オ
古津　近江　十ノ三オ
福原宮　摂津　一ノ廿三ウ
藤原宮　大和　一ノ十五オ
藤井浦　駿河　六ノ卅一オ
藤罡　山城　五ノ六オ

深津　備後　中ノ廿一ウ

安智　遠江　六ノ廿二オ

富士郡　駿河　六ノ卅二オ

富士山　同　同ノ同

詞

賦役　四ノ八ウ

武塔神　十ノ廿四オ

中臣賜二藤原姓一　六ノ四十一オ

藤原賜姓　六ノ四十二オ

風土記撰定　四ノ十一ウ　日ノ十二オ

賜布《フ》帛《ハク》　四ノ七オ

冬薑　十二ノ九オ

麻謂㆓之緫《フサ》㆒　六ノ五十三オ

許　地名

高麗國意呂山　十二ノ四ウ
子湯縣　日向　十二ノ廿八オ
小走罡　攝津　五ノ卅五ウ
小室川　信濃　七ノ十九ウ
越山　相模　六ノ卅九オ
國府湊　下総　六ノ六十二ウ
高志之都ゝ乃三埼　九ノ十七ウ
高麗　武蔵　六ノ四十八オ
衣袖漬ノ國　六ノ六十四オ

巨麻　甲斐　六ノ卅七オ

小島村　下総　六ノ六十三オ

児島　備前　十ノ十八オ

詞

國郡長　四ノ六オ

國司　四ノ七オ　日ノ廿二オ

金ノ鈴　六ノ一ウ

國郡圖　四ノ十二オ

國志　四ノ四十丁オ
國守巡行　四ノ廿七オ
國造　四ノ六オ
國官相當事　四ノ廿三ウ
國司任限　七ノ廿七ウ
始置㆓諸郡㆒　四ノ卅三オ
許呂志　十ノ廿四ウ
國号　一ノ廿三ウ
國司交替　四ノ廿九ウ

國官加階本　四ノ廿四オ

江

地名

頴娃　薩广　十二ノ四十七ウ

愛智　近江　七ノ四ウ

江沼　加賀　八ノ八ウ

荏原　武蔵　六ノ四十七オ

海老名川　相模　六ノ卅七ウ

詞

訳長　四ノ十三ウ
給二訳馬傳為一　四ノ八オ
要路　四ノ十二ウ
訳子　七ノ十二ウ　四ノ十五オ
要害　四ノ一オ
毛人《エミシ》　十ノ廿七オ

縁海諸國　三ノ八十一ウ

天　地名

手柏　六ノ一ウ

手形郡　筑前　十二ノ六ウ

豊島　摂津　廿ノ卅四オ

詞

堤防　四ノ十七ウ
朝集使　四ノ十四オ
傳馬　四ノ七ウ
傳符　四ノ八オ

安

地名

天健金草伞 隠岐 九ノ廿八ウ

阿曽谷 甲斐 六ノ卅七ウ

有馬温湯 五ノ卅五オ

愛智 尾張 六ノ十八ウ

海部 同 六ノ十六ウ

明石 播磨 十ノ三オ

有間濱 出羽 七ノ四十廿ウ

吾田長屋笠狭之碕 筑紫 一ノ二オ

渋海 近江 七ノ一ウ

足輕浦　相模　六ノ三十九オ

海部《アマ》　豊後　十二ノ卅四オ

足柄　相模　六ノ卅九オ

安濃　伊勢　六ノ八ウ

姶羅《アヒラ》　大隅　十二ノ四十五オ

有間濱　出羽　七ノ四十七ウ

愛甲山　遠江　六ノ廿二オ

麻作堤　同　同ノ同

萬染川　駿河　六ノ卅一オ

足利駅	下野	六ノ卌三オ
海部	紀伊	十一ノ三オ
會見	伯耆	九ノ十三オ
穴海	備後	十ノ廿ウ
粟岬	筑後	十二ノ十五オ
秋鹿	出雲	九ノ廿オ
吾妻	上野	七ノ廿三ウ
有馬	摂津	五ノ卅五オ
足柄関	相模	六ノ廿七ウ

阿豆麻　六ノ卅九ウ
鰐田　出羽　七ノ四十七オ
安達　陸奥　七ノ卅六オ
阿武　長門　十ノ卅三オ
赤坂　備前　十ノ十六ウ
安藝國　十ノ廿五オ
足輕明神　武藏　六ノ卅八オ
近江國　七ノ一オ
英多　美作　十ノ八ウ

葦名山	遠江	六ノ廿二ウ
廣玉	日	六ノ廿二オ
荒城	飛騨	七ノ十七ウ
安房社	安房	六ノ五二ウ
安積	陸奥	七ノ卅五ウ
安房國		六ノ五十オ
小豆嶋	備前	十ノ十ウ
安房郡	安房	六ノ五十二オ
天草	肥後	十二ノ廿七ウ

阿多　薩摩　十二ノ四十七オ

穴戸　長門　十ノ卅一ウ

青葉川　陸奥　（七ノ卅六ウ　四ノ卅九オ

淺沼　甲斐　六ノ卅七オ

天高市　大和　五ノ十六ウ

阿智訳　信濃　七ノ十四ウ

葦田　備後　十ノ廿三ウ

在田　紀伊　十一ノ三オ

穴済　備後　十ノ廿六ウ

安那	備後	十ノ廿オ
阿蘇山	肥後	十二ノ十六オ
朝日湊	近江	七ノ五オ
英賀湊	遠江	六ノ廿三ウ
阿野	讃岐	十一ノ十三オ
穴穂宮	大和	一ノ八ウ
天高市	同	一ノ一オ
秋津島宮	同	一ノ五ウ
飽波郡	同	五ノ十一ウ

安八　美濃　七ノ九ウ
秋田城　出羽　七ノ六十ウ
足柄路　相模　六ノ卅九ウ
阿拝　伊賀　六ノ二ウ
吾娥之郡　六ノ一ウ
阿稹　紀後　十二ノ廿六オ
葦北　日　十二ノ廿八オ
浅井　近江　七ノ五オ
秋田　出羽　七ノ五十九ウ

淡路国　十一ノ四才

阿閉崎　筑前　十二ノ九ウ

荒爪之山　肥前　十二ノ十六ウ

吾名邑　近江　九ノ五才

天田　丹波　九ノ二才

齶田浦神　出羽　七ノ四十七ウ

秋田村　日　七ノ五十七ウ

足羽　越前　八ノ六才

阿波国　十一ノ六才

安宿　河内	五ノ廿ウ
停二秋田城《アキタノン》一為レ郡　詞	七ノ六十ウ
按察使	四ノ六十八ウ
葦原中國	一ノ廿五オ
赤旗青幡	六ノ六十七オ
細鱗魚　ヱユ	十二ノ十九ウ
白水郎	十二ノ三十四オ

天鳥船		九ノ廿一オ
竹刀《アヲヒエ》		十二ノ卅八ウ
梓弓為橋	伊勢	六ノ六オ
天日栖宮	出雲	九ノ廿ウ
織布		十一ノ七オ
絁		四ノ八ウ
天安河		九ノ廿一オ
押領使		六ノ六十オ
麻		十一ノ七オ

縣邑首　四ノ六才

佐

地名

佐野　遠江　六ノ廿四才

佐藝郡　志摩

坂中井　越前　八ノ六才

沢田海　尾張　六ノ十二才

佐用　播广　十ノ七オ
讃良　河内　五ノ廿二オ
境原宮　大和　一ノ六オ
小寝社　近江　七ノ九オ
避翼　出羽　七ノ四十四オ
相模國　六ノ卅七ウ
寒河山　陸奥　七ノ卅九ウ
微雨川　駿河　六ノ卅一ウ
境罡宮　大和　一ノ五十オ

狭田之園　出雲　九ノ十七オ
寒川　相模　六ノ卅九オ
佐渡園　八ノ十五オ
寤居清水　美濃　七ノ八オ
雜田　佐渡　八ノ十八ウ
狭屋社　伊勢　六ノ八ウ
済苦院　出羽　七ノ五十六ウ
坂田　近江　七ノ四ウ
坂本　美濃　（七ノ十三ウ／日ノ十四ウ）

坂上走井　遠江　六ノ廿二オ
寒田川　甲斐　六ノ卅七オ
薩广岡　十三ノ四十五ウ
埼玉　武蔵　六ノ四十八ウ
坂井　越前　八ノ六オ
沢田罡　甲斐　六ノ卅七オ
佐也罡　武蔵　六ノ四十七ウ
桐良浦　遠江　六ノ廿四ウ
三本杉　日　六ノ廿二ウ

荘田山 河内 五ノ廿二ウ
幸田川 常陸 六ノ六十六オ
佐伯 安藝 十ノ廿六ウ
讃岐國 十一ノ九ウ
里直崎 加賀 八ノ十オ
匝瑳 下総 六ノ六十一ウ
相楽 山城 不ノ六ウ
佐伯郷 備前 十ノ十四オ
佐比賣山 出雲石見境 九ノ十七オ

詞

紗抜大押直　十一ノ十ウ

防人　(三ノ八十五オ　(四ノ七ウ

里　四ノ八オ　同ノ十一オ

佐祁毘　十ノ廿七オ

嵯峨紫弥　十二ノ廿二ウ

山東　四ノ十四オ

挟《サキ》郷　四ノ十ウ

細馬　四ノ九オ
三種宝器　六ノ一ウ
貲布　サヨミ　四ノ九オ

畿

地名

企治城　出羽　七ノ五十九ウ
許乃國　山城　平ノ平ウ

基肆　肥前　十二ノ十八ウ
狐崎ノ　駿河　六ノ卅一オ
清見関　同　六ノ廿七ウ
吉蘇村　美濃　七ノ六オ
杵島山　肥前　十二ノ十六オ
紀伊郡　山城　又ノ五オ
城養　陸奥　（七ノ卅八ウ
同ノ卅七ウ）
紀伊国　十一ノ一オ
吉蘇路　美濃　七ノ六オ

喜多　十ノ廿二オ
企救　十二ノ廿九ウ
肝属　十二ノ四十五ウ
閑之長濱　十二ノ卅オ
一
城原　豊後　十二ノ卅五ウ
杵島　肥前　十二ノ廿二オ

詞

段《キタ》　四ノ八ウ

閑〻耶〻爾　九ノ十六ウ
樹種　十一ノ一オ
畿内國次　子ノ一ウ
畿内子國　子ノ一オ
木穗刺加布　九ノ廿二オ
柵造　七ノ四十八オ
分　十二ノ卅四オ
近國　六ノ一オ
行基建泊所　四ノ十五オ

疆域　四ノ五ウ
金鈴　六ノ一ウ

由

地名

伊豫　温泉　十ノ十八ウ
河内　由義宮　五ノ十八オ
下総　結城郡　六ノ五十三オ（日ノ六十二ウ

壹岐島　十ア四十八オ
湯之瀬山　安藝　六ノ卅七ウ　同ノ卅九オ
湯岡　伊豫　十ノ十九ウ
温湯宮　同　十ノ十八ウ
由理柵　出羽　七ノ二十オ
行數墻　對馬　十ア五十二ウ

詞

木綿　十ア七オ

米

地名

妙壽寺山　甲斐　六ノ卅七オ

詞

梅豆羅志　十二ノ十九ウ

美

地名

陸奥五十四郡　七ノ五十オ

陸奥國　七ノ廿六ウ

三角石弓　六ノ十二ウ

嶺基　陸奥　七ノ四十四オ

緑野屯倉　上野　七ノ廿三ウ

宮城　陸奥　七ノ卅九オ

美和　三河　六ノ二十ウ
三原　淡路　廿ノ六オ
参河國　六ノ十八ウ
三穂之埼　出雲　九ノ十八オ
箕輪川　河内　五ノ廿二オ
御野　備前　十ノ十七ウ
三重　伊勢　台ノ八オ
美髣　駿河　六ノ卅一ウ
甕栗宮　大和　一ノ八ウ

御笠　筑前　十二ノ十二オ
都宇　陸奥　七ノ卅九オ
三方　若狭　八ノ二オ
美濃国　七ノ五オ
水沼　筑後　十二ノ十五オ
三次《ミヨシ》　備後　十ノ廿五オ
三木　讃岐　十一ノ十二ウ
三島　越後　八ノ十五オ
緑野　上野　七ノ廿三ウ

三野　讃岐　十一ノ十四オ
美作国　十ノ八オ
水島　肥後　十二ノ廿八ウ
御井　筑後　十二ノ十四ウ
美濃　石見　九ノ廿四オ
三国　越前　八ノ六オ
三好　阿波　十一ノ七オ
瑞籬宮　大和　一ノ六ウ
三毛　筑後　十二ノ十五ウ

耳梨之村　大和　六ノ五オ

京河　豊前　十二ノ卅オ

詞

御《ミ》靡《ナヒ》　十二ノ九ウ

御《ミ》笥《ケイ》　同ノ同

三身之經　九ノ十六ウ

御子神　十二ノ廿二ウ

水駅　四ノ十六ウ

蓑笠之說　四ノ十三ウ

京洲　四ノ七オ

之

地名

志羅紀乃三埼　出雲　九ノ十六ウ

磯城島金刺宮　大和　一ノ十ウ

下道　備中　十ノ十九オ

志通波他河　駿河　六ノ廿五オ
白河　陸奥　七ノ卅四ウ
信爾村　薩摩　十二ノ四十八オ
階上　陸奥　七ノ四十六ウ
師木垣宮　大和　一ノ六ウ
師木玉垣宮　同　一ノ七オ
志太　陸奥　七ノ四十オ
白河軍團　同　七ノ三十四ウ
後方羊蹄　七ノ四十八ウ

斯波　陸奥　七ノ四十九オ
志津機川　駿河　六ノ卅一オ
志紀　河内　五ノ廿四オ
志津機之要障　六ノ廿六オ
滋賀　近江　七ノ三オ
塩之原山　摂津　五ノ卅五オ
志波村　出羽　七ノ四十九オ
下妻　筑後　十二ノ十五オ
志摩　筑前　十二ノ五オ

白髪山　肥後　十二ノ廿三ウ
標葉　陸奥　七ノ卅八オ
島下郡　摂津　五ノ卅三ウ
肉入籠　七ノ四十八ウ
志波城　出羽　七ノ四十九ウ
下総国　六ノ五十八ウ
島田之堤　駿河　六ノ廿六オ
設楽　三河　六ノ廿ウ
下野国　七ノ廿四ウ

信夫　陸奥　七ノ卅六ノオ

只野　信濃　七ノ十九ウ

鳥上郡　播磨　五ノ卅三ウ

椎奈嶽　加賀　八ノ十オ

城下郡　大和　五ノ十六オ

信濃坂　七ノ十八ウ

鳥根　出雲　五ノ廿オ

宍粟《シサハ》　播磨　（九ノ五オ　十ノ七オ

後月　備中　十ノ十九ウ

紫島　筑前　十二ノ九ウ
附木島大宮　大和　一ノ十ウ
下座　筑前　十二ノ十一ウ
信濃國　七ノ十八オ
色广柵　陸奥　七ノ卅二オ
城上郡　大和　五ノ十六オ
信太郡　常陸　六ノ六十六ウ
塩田村　備前　十ノ十四オ
唱更國司　十二ノ四十六オ

志麻国　六ノ十ウ
新羅　託　六ノ五十オ
詞
上郡ニハ大領少領主政主帳各一人　四ノ三十五オ
諸国郡郷名著好字　四ノ十一ウ
諸国郡里等名用二字取嘉名　四ノ十一ウ
主政　四ノ八オ　四ノ四十二オ
爲句　十二ノ廿一ウ

神郡　出雲　九ノ十八オ
城隍　四ノ一オ
鹿皮　十二ノ廿ウ
新羅賊兵　三ノ九十オ
職員令ヲ引　五ノ廿九オ
神郡　伊勢　六ノ十オ
此来島　十一ノ廿ウ
賜㆓食《ジキ》封ヲ㆒　四ノ七オ
史生毎国数　四ノ四十六ウ

史生　四ノ廿二オ
新羅訳語　十二ノ五十一ウ
島田臣　六ノ十八オ
神郡　（六ノ五十三オ　四ノ六十三オ
主帳　四ノ八オ　四ノ四十三オ
塩地　十二ノ九ウ
神宮釆女　（九ノ十九ウ　十二ノ七ウ
諸國之境定　四ノ十オ
下樋　十一ノ十九オ

諸國兵士　三ノ八十六オ
索黒葛　九ノ十六ウ
仕丁　四ノ九オ
祠社戸口簿帳　四ノ廿二オ
四道将軍　四ノ五十二オ
志婆布　九ノ廿二オ
巡察使　四ノ五十八ウ
島津國造　六ノ十一オ

惠

地名

惠奈　美濃　七ノ十三ウ
越前國　八ノ二オ
繪上郷　美濃　七ノ六オ
惠蘇　備後　十ノ廿四オ
越中國　八ノ十二ウ
越後國　八ノ十四オ

詞

地名

比

備中國　十ノ十八オ

菱刈　大隅　十二ノ四十四オ

日高　豊後　十二ノ卅二ウ

平野山　駿河　六ノ卅一オ

氷河之考　播磨　十ノ一ウ

比羅保許山　出羽　七ノ卅二ウ

常陸國　六ノ六十三ウ

氷川　河内　五ノ廿二オ

廣野河　尾張　六ノ十三ウ（四ノ十四オ

氷室邑　愛宕　五ノ五オ

備前國　十ノ十ウ

必志里　大隅　十二ノ四十四ウ

日高之國　常陸　六ノ六十七オウ

火國　十二ノ十六ウ

飛驒國　七ノ十五オ

平戈　出羽　七ノ四十四オ

日向國　十二ノ卅八オ

東生　攝津　五ノ卅二ウ

日根　和泉　五ノ廿七ウ

肥後國　十二ノ廿三オ

火邑　肥後　十二ノ廿四オ

斐伊村　出雲　九ノ廿二ウ
日代宮　大和　一ノ七オ
美守　十二ノ四十ウ
比賣碁曽社　摂津　九ノ八オ
一松　伊勢　六ノ八オ
日高　紀伊　十ノ三オウ
廣瀬　大和　五ノ十二ウ
日前神　紀伊　十ノ二ウ
備後國　十ノ廿オ

肥前國 十二ノ十六ウ

詞

比賣神 十二ノ廿二ウ

百姓 四ノ七ウ

東國造兵庫 三ノ八十三ウ

必志 海潮之 十二ノ四十四ウ

悉田処 武茂 六ノ四十六オ

常陸大守 六ノ六十四ウ

飛彈匠丁　七ノ十五ウ
棺輿　十二ノ二オ

毛

地名

物理　備前　十ノ十四オ
桃生城　陸奥　（七ノ卌一ウ　日ノ卌三ウ）
百舌鳥原　山城　五ノ六オ

問菟　七ノ四十八ウ
本巣　美濃　七ノ十ウ
最上　陸奥　七ノ五十六ウ
桃生　同　七ノ四十三ウ
没利島　筑前　十二ノ九ウ

詞

斥候　四ノ七ウ
百八十結　九ノ廿ウ

閔氏若使　六ノ六十二ウ

毛曽呂ミミミ爾　九ノ十六ウ

勢

地名

仙河　不二河美名　六ノ廿五オ

詞

小郡領主帳各一人　四ノ卅五オ
少領　四ノ八オ
詔使　四ノ五十二オ
小路　四ノ十二ウ
小毅　四ノ四十二ウ
銓擬郡司　四ノ卅四ウ
西辺　三ノ八十二ウ
遷都　一ノ一オ
節度使　四ノ五十二ウ

小郡　四ノ八オ

須

地名

珠洲　能登　八ノ十二ウ
周智　遠江　六ノ廿三ウ
沙石　備前　十ノ十四オ
諏訪　信濃　七ノ廿オ

諏訪山 信濃 七ノ十九ウ

助川 出羽 七ノ卅四オ

洲羽海 信濃 七ノ廿オ

周准 上総 六ノ五十七オ

駿河郡 駿河 六ノ卅二ウ

周防国 十ノ廿九オ

受津村 下総 六ノ六十三ウ

住吉 摂津 五ノ三十ウ

駿河国 六ノ廿五オ

詞

鈴契

駿河名義

四ノ七ウ
同ノ八オ

六ノ廿五オ

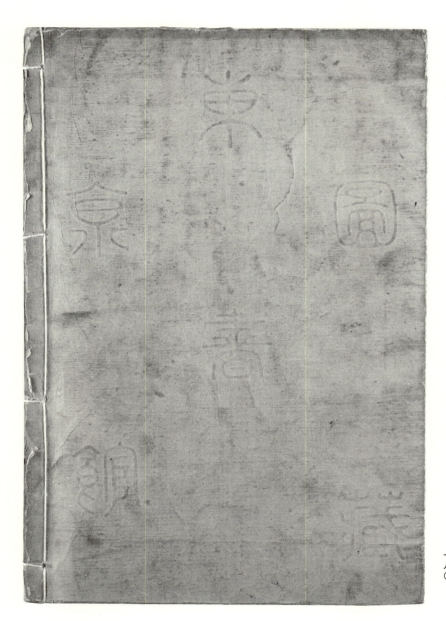

【監修・解題】

梅田　径（うめだ・けい）

1984年生まれ。2016年早稲田大学文学研究科日本語日本文学コース満期退学。現在、帝京大学文学部日本文化学科講師。博士（文学）。
〈単著〉『六条藤家歌学書の生成と伝流』（勉誠出版、2019年）。『翻刻　松屋外集　巻一』（オリンピア印刷、2023年）。『翻刻松屋外集　巻二』（オリンピア印刷、2024年）。
〈論文等〉「野田忠粛『夜夢想』翻刻と解題」（『古代中世文学論考』54、新典社、2024年）。「和歌初学者へのまなざし―院政期歌学の認識とその背景―」（『緑岡詞林』48、2024年３月）。「『野田の足穂』の翻刻と解題」（『汲古』83、2023年６月）。『日露戦争と軍人の風流―『風俗画報』「征露図会」特集号における「韜略の余事」をめぐって―』（『戦争と萬葉集』5、2023年３月）。「小山田与清の子息をめぐって―与叔と清年と蔵書の関係―」（『青山語文』53、2023年３月）。「小山田与清旧蔵書のゆくえ 附〈翻刻〉早稲田大学図書館蔵『明治四拾年六月調 高田氏寄託図書目録』（『緑岡詞林』46、2022年３月）。「秘伝の行く末―歌学秘伝における思想の伝播と権威のメカニクス」（『ユリイカ 詩と批評』52－15、青土社、2020年11月）。

書誌書目シリーズ⑫⑥
『諸字類集成《しょじるいしゅうせい》』
小山田与清《おやまだともきよ》『群書捜索目録《ぐんしょそうさくもくろく》』Ⅴ　第一巻

二〇二五年一月　十七日　印刷
二〇二五年一月三十一日　発行

監修・解題　梅田《うめだ》　径《けい》
発行者　鈴木一行
発行所　株式会社ゆまに書房
〒一〇一―〇〇四七
東京都千代田区内神田二―七―六
電話〇三（五二九六）〇四九一（代表）

印刷　株式会社平河工業社
製本　東和製本株式会社
組版　有限会社ぷりんてぃあ第二

◆落丁・乱丁本はお取替致します。

本体10,000円＋税

ISBN978-4-8433-6894-7 C3300